D1210800

Animales en familia

Lobos

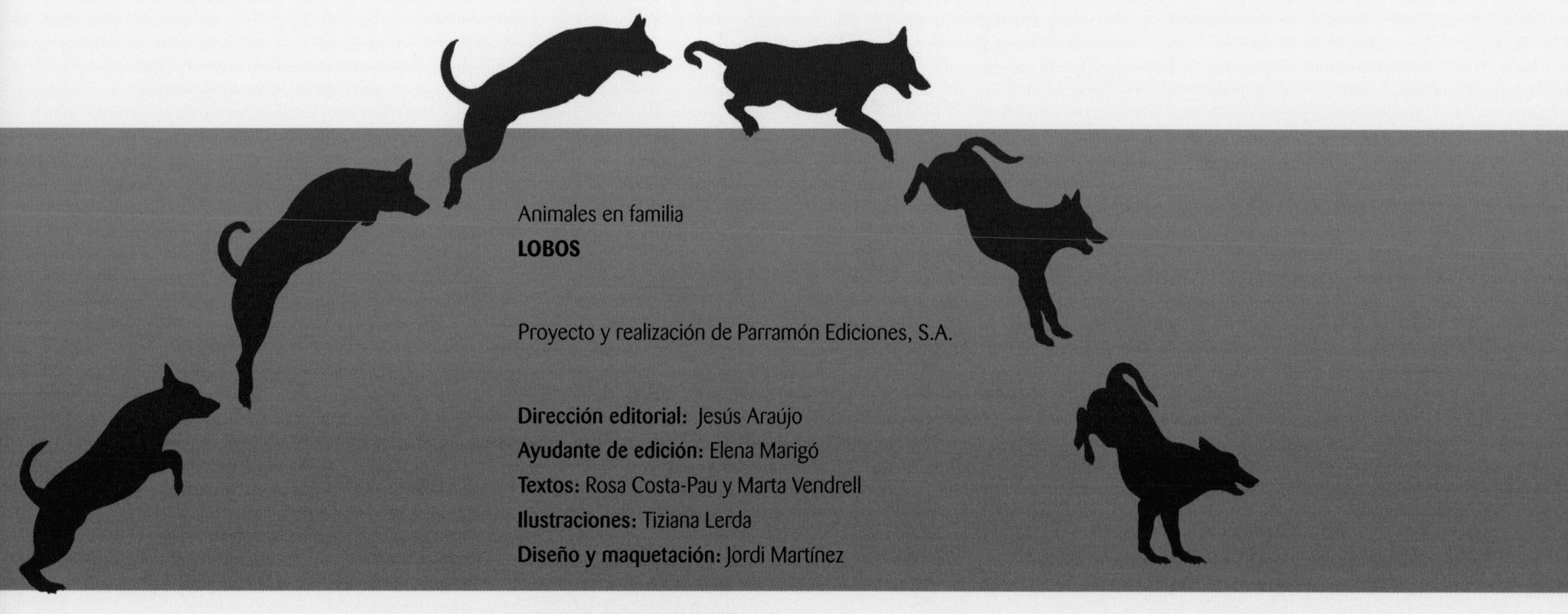

Animales en familia

LOBOS

Proyecto y realización de Parramón Ediciones, S.A.

Dirección editorial: Jesús Araújo
Ayudante de edición: Elena Marigó
Textos: Rosa Costa-Pau y Marta Vendrell
Ilustraciones: Tiziana Lerda
Diseño y maquetación: Jordi Martínez

Primera edición: abril 2004

Editado y distribuido por Parramón Ediciones, S.A.
Ronda de Sant Pere, 5 4ª planta
08010 Barcelona (España)
Empresa del Grupo Editorial Norma
www.parramon.com

Dirección de producción: Rafael Marfil
Producción: Manel Sánchez
ISBN: 84-342-2643-X
Depósito legal: B-6.322-2004
Impreso en España

Animales en familia

Lobos

Ilustraciones
Tiziana Lerda

Textos
Rosa Costa-Pau

Parramón

Contenidos

Hábitat. De aquí para allá

Cada manada de lobos vive en un territorio y cada día se desplaza por él en busca de comida. Dentro de estos territorios, las familias (lobos y crías) tienen sus guaridas o cubiles, que utilizan cuando los lobeznos son pequeños.

Relaciones. Unos para otros

Aunque hay lobos solitarios, en general los lobos son animales sociales y viven en manada para protegerse. Los lobos se comunican mediante aullidos, que les ayudan a mantenerse siempre unidos.

Alimentación. ¿Qué comen?

Los lobos pueden comer tanto presas pequeñas (roedores, conejos o aves) como grandes (corzos, ciervos o bueyes almizcleros). Los lobos suelen cazar en manada y de forma organizada para conseguir animales más grandes que ellos.

Gestación. Nacen los lobeznos

Después de una gestación de 60 días, la loba se refugia en la guarida para tener a sus pequeños lobeznos. Éstos se acurrucan junto a su madre para calentarse y mamar.

Emancipación. Crecer y aprender

Los lobeznos salen de la guarida tres semanas después de su nacimiento, siempre bajo la atenta mirada de su madre. Empieza el período de aprendizaje para llegar a ser lobos adultos a los dos años.

Parientes. Adaptarse al medio

Según la zona del Planeta donde habiten los lobos, éstos tienen unas características distintas que les ayudan a adaptarse al medio. Además, los lobos son parientes de otros animales como el zorro, el chacal o el coyote.

Hábitat. De aquí para allá

Un lobo busca comida hasta encontrar el alimento que necesita para él y para toda la familia, pues los lobos viven en familia. Ésta puede tener como miembros a un lobo dominante, una loba dominante, sus hijos y otros lobos que no se reproducen. Juntos forman una manada, que puede estar compuesta por entre 6 y 20 miembros, dependiendo mucho del territorio y de la comida que haya en él. Forman siempre un grupo fuertemente unido, aunque también hay lobos solitarios.

Tras encontrar el alimento, si el lobo se siente satisfecho, busca un lugar tranquilo donde descansar. Desde allí llama a su familia. La familia responde y muy pronto se unen. Descansan y duermen hasta que llega el amanecer del nuevo día.

El lobo va en busca de comida por lo

…bosques, por las llanuras o entre matorrales…

Cada día los lobos recorren su territorio. Es su trozo de bosque, pradera o llano. Los lobos como otros muchos animales reconocen cuál es su territorio, el lugar donde pueden vivir junto a todos los miembros de la manada, y donde no se acepta la presencia de otros grupos vecinos. Si en un mismo territorio habitasen demasiados lobos, no habría comida suficiente para todos.

El lobo jefe (el dominante) señala el territorio orinando en objetos o en lugares determinados, mientras la manada lo recorre. Las marcas olorosas, también los largos y profundos aullidos, ayudan al lobo a marcar y defender su lugar. El tamaño del territorio depende de la cantidad de presas que haya en él.

Ficha de identidad

Longitud: de 100 a 140 cm

Cola: peluda y de 50 a 70 cm de largo

Altura: de 65 a 80 cm

Peso: de 25 a 45 kg el macho
de 18 a 30 kg la hembra

Vive: de 10 a 16 años

Dientes: 42

Olfato: muy desarrollado

Oído: excepcional

Visión: muy buena de noche

Mamá loba con uno de sus lobeznos

Las huellas de mamá loba

Las huellas de un lobezno

Dentro de su territorio, las parejas de lobos y sus crías viven en guaridas (cubiles), que son excavaciones hechas en el suelo, o cavernas más o menos profundas. Si son cavernas, a menudo están situadas en lugares elevados para que los lobos puedan vigilar los alrededores. Estas guaridas suelen estar cerca de corrientes de agua, arroyos o lagunas.

Los lobos viven cerca de arroyos porque deben beber agua regularmente

Relaciones. Unos para otros

Los lobos aúllan y sus aullidos tienen diferentes significados. Todos los lobos de la manada los conocen y pueden saber dónde está el lobo que ha aullado y traducir sus aullidos.

Así, el aullido del lobo a un forastero dice:

Sal de mi casa,
no eres bienvenido.

Y el aullido a otros miembros de la manada que se encuentran dispersos por el territorio anuncia:

Estoy con vosotros.
Reunámonos y salgamos a cazar.

Durante la cacería, los aullidos sirven al lobo para comunicar al resto del grupo su posición. Pero el aullido del lobo puede expresar también alegría o tristeza.

- El lobo gruñe
- El lobo aúlla
- El lobo también ladra como lo hace un perro
- El lobo gime

En el descanso o reunión de la manada los aullidos son frecuentes. Muchas veces, cuando uno empieza, el resto del grupo lo acompaña formándose así un espléndido coro que resuena lastimoso y profundo a enormes distancias.

Además de los aullidos, los lobos tienen otras maneras de comunicarse: se expresan moviendo los músculos de la cara, enseñando los dientes o moviendo las orejas. Cuando un lobo repliega las orejas hacia atrás, es señal de que tiene miedo.

Las posturas también les sirven para comunicarse. Con la cola levantada, el lobo indica una actitud de dominio. Con la cola entre las patas traseras, indica una actitud sumisa.

Las relaciones entre los miembros de la manada son numerosas y cada lobo tiene una función determinada. Los lobos forman una comunidad. En ella, los lobos más fuertes ayudan a los viejos y discapacitados, y a los cachorros.

La fama de los lobos

Demasiadas veces los hombres han perseguido a los lobos, sin conocerlos. Hay que saber que el lobo es un animal inteligente y merece nuestra admiración y respeto.

En realidad los lobos son cooperativos, comunitarios, adoptan a los cachorros huérfanos, comparten alimento y jamás abandonan a los heridos o a los más débiles.

Se enfrenta con la cola levantada y se retira con la cola entre las patas

obre todo, su capacidad de vivir en comunidad

Desde tiempos lejanos se explican a los niños cuentos de lobos feroces; cuentos que dan miedo. Pero en la realidad no existen los lobos feroces de los cuentos...

También hay leyendas y fábulas que explican cómo los lobos han adoptado niños pequeños que se han perdido en el bosque, y los han alimentado y cuidado como si fueran lobeznos.

Hoy se protege legalmente a los lobos en muchos lugares de nuestro Planeta; pero esos hermosos animales escasean ya en todas partes.

Alimentación. ¿Qué comen?

El lobo puede cazar conejos, pájaros u otros animales más pequeños que él. En invierno, cuando las presas vivas escasean, los lobos también comen frutas silvestres.

Pero cuando cazan en manada y de forma organizada pueden conseguir animales más grandes que ellos, como los ciervos o los corzos.

Corzos El lobo permanece expectante para atacar a un corzo.

El lobo debe comer para vivir. Es un buen cazador y un buen corredor

Conejos Un conejo con sus orejas alerta prevé el ataque del lobo.

Aves Este lobo espera decidirse a hacer callar al pájaro que se defiende.

Los ojos del lobo le permiten cazar de día y de noche

¿Sabías que...

- Cuando el lobo va en busca de la presa puede recorrer hasta 80 km al día?
- Algunos lobos pueden recorrer 600 km para encontrar un nuevo territorio donde instalarse?

Notas de interés

El oído El lobo, con su fino oído, oye cualquier ruido a grandes distancias y detecta a sus posibles presas.

La vista El lobo tiene tan buena vista que es incluso mejor cazador en la oscuridad de la noche que a la luz del día.

El olfato Su gran olfato le facilita seguir el rastro de sus presas.

La mandíbula El lobo es esencialemnte carnívoro y, por eso, tiene unos colmillos largos y afilados, y unas muelas muy poderosas.

De pequeño...

El lobezno todavía no puede masticar carne y se alimenta de comida regurgitada por los adultos.

Los lobos también tienen sus enemigos

El lince espía a los pequeños lobos, ya que le gusta la carne de lobezno

Todo el grupo vigila a los cachorros.
Cuando uno se escapa, le obligan a volver.
Entonces el lince se asusta y sale en busca
de comida hacia otros lugares

Al lobo le gusta vivir en manada porque le da seguridad

Gestación. Nacen los lobeznos

La loba y el lobo se acarician, se lamen, juegan, están cerca uno del otro, especialmente durante el invierno. Fruto de este acercamiento nacen de 5 a 10 lobeznos al cabo de unos 60 días. Es el tiempo que dura la gestación de la madre loba.

El lobo y la loba permanecen juntos durante muchos años. Juntos preparan la guarida donde nacerán sus hijos y juntos los criarán.

¿Sabías que...

Notas de interés

- Durante los primeros días, los recién nacidos tienen los párpados cerrados y son ciegos?
- Pesan aproximadamente 500 g?
- Miden 35 cm desde la punta del hocico hasta el extremo de la cola?
- Poco a poco sus sentidos van desarrollándose?
- Sus movimientos son cada vez más seguros?
- Cuando los abren por primera vez, los ojos son de color azul pero a medida que van creciendo se vuelven amarillos, que es el color de los ojos de sus padres?

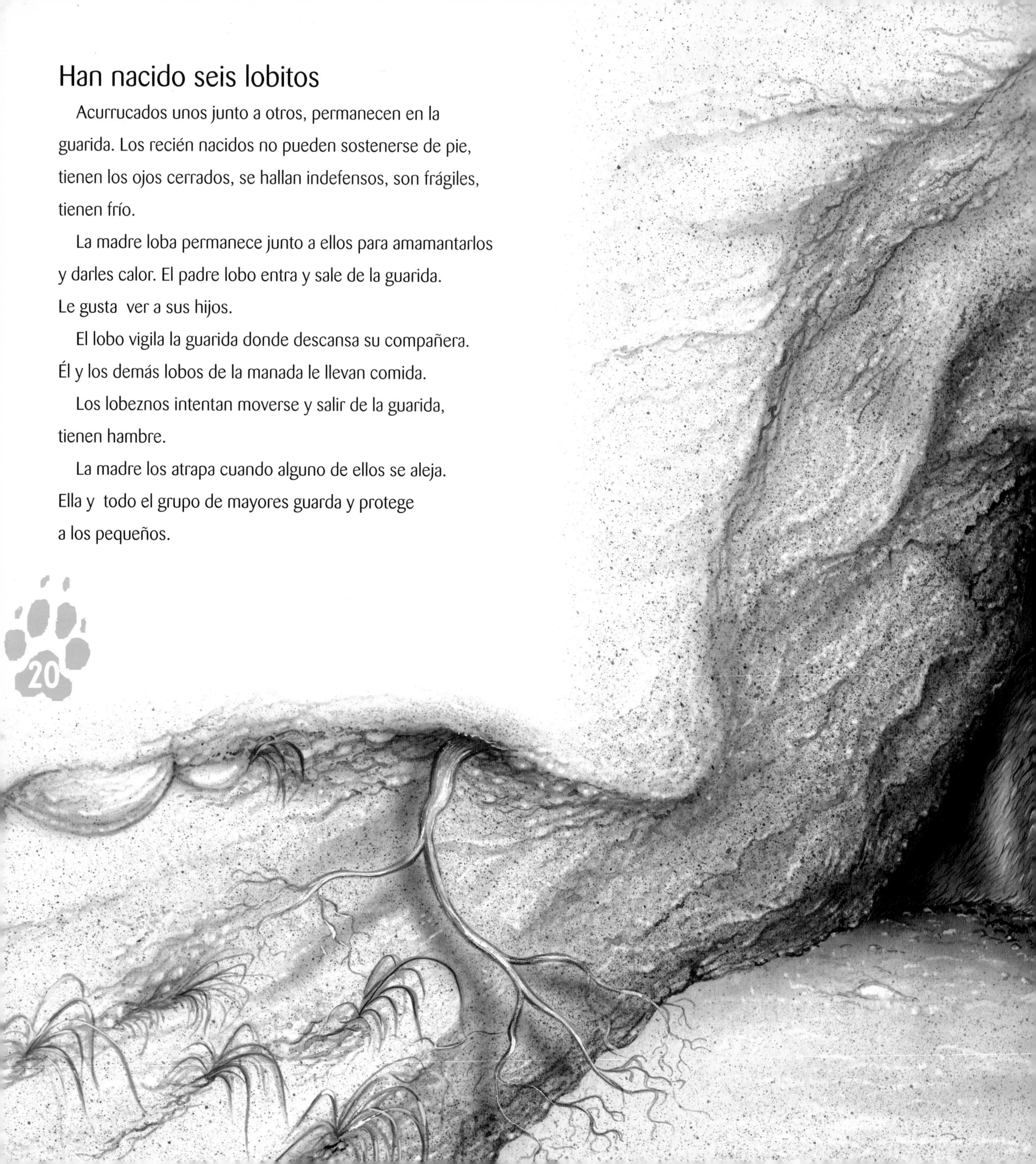

Han nacido seis lobitos

Acurrucados unos junto a otros, permanecen en la guarida. Los recién nacidos no pueden sostenerse de pie, tienen los ojos cerrados, se hallan indefensos, son frágiles, tienen frío.

La madre loba permanece junto a ellos para amamantarlos y darles calor. El padre lobo entra y sale de la guarida. Le gusta ver a sus hijos.

El lobo vigila la guarida donde descansa su compañera. Él y los demás lobos de la manada le llevan comida.

Los lobeznos intentan moverse y salir de la guarida, tienen hambre.

La madre los atrapa cuando alguno de ellos se aleja. Ella y todo el grupo de mayores guarda y protege a los pequeños.

Emancipación. Crecer y aprender

A medida que va creciendo, el cachorro del lobo aprende de su madre y de su padre a vivir como los lobos. La primera comida de los lobos es la leche de su madre.

Al cabo de unos dos meses, finaliza el destete. Cuando los lobeznos crecen, sus mandíbulas se hacen más fuertes. Entonces les caen los dientes de leche y les crecen unos dientes más fuertes y afilados.

Comienzan a morder, a roer, a mascar. Los lobeznos curiosos salen de la guarida y exploran el entorno.

Tienen ganas de jugar. Sus juegos parecen peleas: se arrojan uno sobre otro, se muerden, se esconden, se persiguen. Las crías de lobos juegan para divertirse y al mismo tiempo aprenden.

Cuando crezcan pondrán en práctica lo que hayan aprendido jugando, y cazarán a otros animales persiguiéndolos y mordiéndolos.

Curiosean

Luchan

Aprender a ser lobo

Los lobeznos juegan a ser jefes y enseñan los dientes y bajan las orejas. Si saben hacerse respetar, más tarde podrán dirigir ellos una manada.

Mientras son jóvenes deben obedecer las órdenes de los adultos y aprender de ellos.

Aprenden, por ejemplo, que la madre siempre ayuda más al que tiene menor edad. También aprenden a estar detrás de ella en todo momento, porque es su protectora y maestra.

Los lobeznos aprenden a encontrar comida, a esconderse de los peligros, a disfrutar del entorno al aire libre. En suma, están aprendiendo a vivir.

Cuando un lobezno cumple 3 meses, ya tiene el aspecto de un lobo adulto.

Cuando toda la familia sale a cazar, los lobos se colocan en fila india; de esta forma, dejan detrás de sí un solo rastro.

El gran lobo va a la cabeza con la cola levantada en señal de autoridad. A continuación, la madre loba seguida de los lobeznos por orden de edad: primero los mayores y luego los más pequeños.

Los pequeños, imitando a los mayores, aprenden a desplazarse en silencio y a localizar pisadas. Pero no siempre hay suerte en la búsqueda de comida.

Algunas veces los pequeños lobeznos alertan de una presa, y la alerta asusta a la presa que sale huyendo del lugar. Entonces hay que buscar más comida, porque los lobeznos aún están débiles y necesitan alimentarse.

Mamá loba traslada a su lobezno a otro lugar

¿Sabías que...

Notas de interés

- Los lobos adultos mastican la carne de las presas antes de dársela a los cachorros?

A los 6 meses, protegidos por la manada, los lobeznos aprenden a cazar presas pequeñas. Los lobos se preparan para salir a cazar: olfatean, saltan, se saludan, se echan delante de los padres que tienen la cola levantada en actitud segura.

Y llega un día en que las crías ya han crecido. Entonces los padres pueden dejarlas solas.

Los gestos de la cara, los gruñidos y sus profundas miradas son señales claras de que los cachorros están ya desarrollados.

En estos momentos, los lobos comienzan a mostrar su fuerza, su nobleza y su inteligencia.

Los lobos machos tardan alrededor de 3 años en adquirir el estado adulto. Las hembras lo adquieren antes, alrededor de los 2 años.

Pero los lobos jóvenes pueden abandonar la manada al año de edad y adoptar una vida solitaria por algún tiempo, antes de hallar pareja y establecer su propio territorio y familia, hasta empezar una nueva vida.

Jóvenes lobos que se alejan
Cazan
El lince vigila al lobezno

Parientes. Adaptarse al medio

Los lobos viven en partes bien distintas del Planeta. Desde las tundras hasta la cumbre de las montañas, en los desiertos y en los bosques de toda clase. Según el lugar, el lobo tiene un tamaño, una forma y un color de pelaje diferentes.

Hay lobos blancos, negros, grises, pardos, rojos y amarillos. Todos ellos forman una gran familia, dentro de la cual se encuentran también el chacal, el zorro ártico, el coyote, el fenec y el perro conocido como perro lobo.

Lobo común

Puede alcanzar los 85 cm de alto y los 1,65 cm de largo. En la actualidad, está extinguido en muchos países de Europa.

Lobo del Norte de América

Tiene una cabeza bastante grande, las orejas erguidas y más bien pequeñas. Su pelaje puede variar tanto en calidad como en longitud.

Lobo euroasiático

Su pelaje tiene varias tonalidades: desde el gris oscuro, en la parte superior de la cabeza, hasta el gris más claro en los costados. Sus orejas son gruesas y erguidas.

Lobo ártico

Tiene el pelaje blanco, largo y espeso para protegerse del frío. Su hocico es puntiagudo y bastante largo.

El invierno es duro para los lobos. Hace mucho frío y apenas encuentran presas para comer.

Por eso, durante el invierno el lobo desarrolla entre su tupido pelo una capa de grasa que recubre su piel y le sirve de abrigo para combatir el frío invernal.

En primavera, el lobo se desprende de la capa de grasa y del largo y tupido pelo invernal. Su cuerpo se cubre de pelo más corto. Ahora tiene un aspecto más estilizado y puede verse su fuerte musculatura que parece estallar cuando se prepara para cazar.

Lobo europeo con pelaje de primavera

Lobo europeo con pelaje invernal

En invierno, la manada recorre grandes distancias para encontrar comida

El lobo posee armas de cazador: colmillos afilados y una fuerte mandíbula. Las garras de sus dedos le permiten fijarse al suelo para perseguir a sus presas

Las adaptaciones permiten al lobo seguir con vida

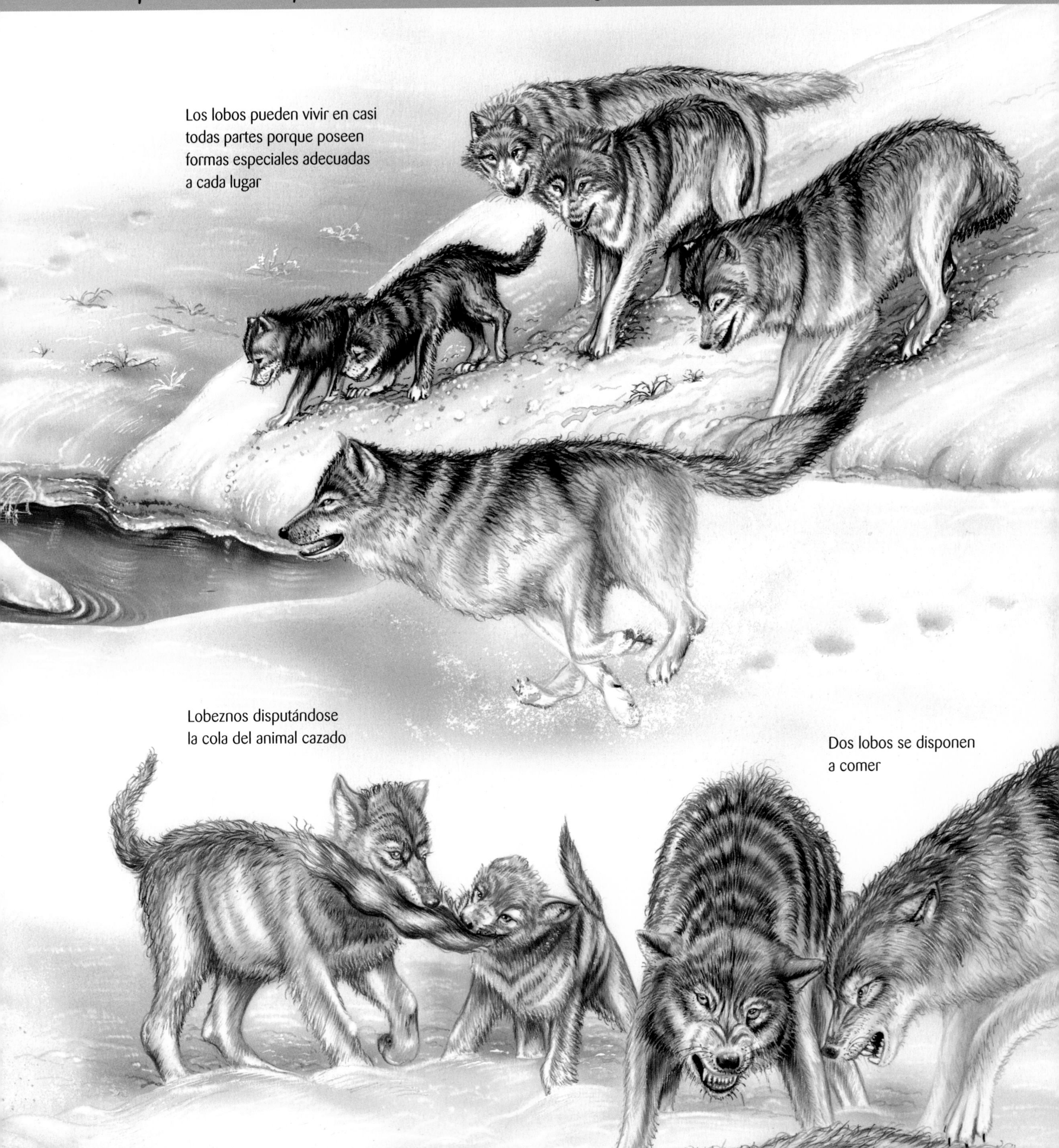

¿Qué sabemos ahora?

¿Cómo señalan su territorio los lobos?

¿Qué significados puede tener el aullido del lobo?

¿Cuáles son las presas preferidas del lobo?

¿De qué se alimentan los lobeznos al nacer?

¿Cuánto tiempo dura la gestación de la loba?

¿Quién cuida a las crías de los lobos?

¿Cómo ejerce su autoridad el jefe de la manada?

¿Por qué es tan importante para los lobos vivir en familia?

¿Cuáles son sus formas de cooperación?

¿Quiénes son los principales enemigos del lobo?

Direcciones de interés en Internet

http://www.adena.es

http://www.faunaiberica.org

http://www.primeraescuela.com

http://www.fapas.es

http://www.mascotamigas.com